Im Zoo
At the Zoo

Ulrike Fischer
Irene Brischnik

Edition bi:libri

„Wir gehen in den Zoo!", sagt Mark zu seinen Kuscheltieren,
Gisela, der Giraffe, Henri, dem Känguru, Leo, dem Löwen, und
Cheeta, dem Affen. „Da zeige ich euch eure großen Geschwister."

"We're going to the zoo!" says Mark to his stuffed animals,
Ginny the giraffe, Henry the kangaroo, Leo the lion
and Cheetah the monkey.
"I can show you all your cousins!"

die Giraffe

giraffe

das Känguru

kangaroo

der Löwe

lion

„Wo bleibst du?" Oma steht an der Kasse
und wedelt mit den Eintrittskarten.
„Wir kommen!", ruft Mark und rennt los.

"Let's go!" Grandma is at the ticket counter,
waving the entrance tickets in the air.
"We're coming!" Mark calls and hurries over.

der Affe

monkey

das Kamel

camel

die Eintrittskarte

entrance ticket

Mark läuft gleich zum Afrika-Gehege. „Ich will Gisela die Giraffen zeigen", sagt er.
Das Gelände ist riesengroß. Gerade bläst ein Elefant Sand auf seinen Rücken.
Weiter hinten grasen Zebras und Antilopen.

Mark heads straight to the African exhibit. "I want to show Ginny the giraffes,"
he says. The compound is huge. An elephant is blowing sand onto his back.
Farther away, zebras and antelope are grazing.

der Elefant

elephant

die Giraffe

giraffe

der Strauß

ostrich

das Zebra

zebra

Oma zeigt auf ein Stelzenhaus. „Da klettern wir jetzt hoch", sagt sie.
„Dann kannst du den Giraffen direkt ins Gesicht sehen."
„Super Idee, das wird meiner Gisela gefallen", freut sich Mark.

Grandma points to the lookout platform. "Let's climb up there," she says.
"Then you can look at the giraffe eye-to-eye."
"Great idea – Ginny will love that," says Mark happily.

die Antilope

antelope

das Nashorn

rhino(ceros)

das Nilpferd

hippo(potamus)

Im Affengehege schaukeln die Schimpansenbabys an
den Seilen, und die großen Schimpansen essen Bananen.
Mark drückt Cheeta an sich. „Wenn wir wieder zuhause sind,
kriegst du auch eine. Versprochen!"

In the monkey compound, the chimpanzee babies are
swinging on ropes and the adult chimps are eating bananas.
Mark gives Cheetah a hug. "When we get home,
you'll get one too. I promise!"

der Schimpanse

chimp(anzee)

der Orang-Utan

orangutan

der Gorilla

gorilla

der Affe

monkey

Weiter geht's ins Tropenhaus. Hier ist es warm und feucht.
„Mir ist heiß", sagt Mark. „Puh, mir auch!", stimmt Oma zu. „Sieh mal!"
Oma zeigt auf eine schlafende Fledermaus. Und wer döst hinter der
dicken Glasscheibe? Mark drückt sich die Nase platt. „Ein Krokodil!"

Then it's on to the tropical house. It's very warm and humid inside.
"I'm hot," says Mark. "Whew, me too!" agrees Grandma. "Look!"
Grandma points to a sleeping bat. And who's snoozing behind
the thick glass? Mark presses his nose flat. "A crocodile!"

der Papagei
parrot

die Schlange
snake

die Fledermaus
bat

das Krokodil
crocodile

der Koala

koala

der Büffel

buffalo

der Tapir

tapir

der Elch

moose

Dann sind die Amerika- und Australiengehege dran. Mark sieht kuschelige Koalas und mächtige Büffel. Henri darf auf seinen Schultern sitzen. „Damit du alles sehen kannst", sagt Mark.

Oma macht ein Foto nach dem andern. „Spaghettiiiiiii!", grinst Mark und zieht Grimassen. „Fertig!", ruft Oma. „Noch nicht", erwidert Mark, „Henri will noch eins mit seiner Kängurufamilie!"

The American and Australian exhibits are next. Mark sees cuddly koalas and mighty buffalo. Henry gets to sit on his shoulders. "So you can see everything!" says Mark.

Grandma takes one photo after another. "Cheeeeeeese!" Mark grins and makes faces. "All done!" calls Grandma. "Not yet," says Mark. "Henry wants one more together with his kangaroo family!"

das Faultier

sloth

der Pelikan

pelican

der Dingo

dingo

das Känguru

kangaroo

„Liebe Gäste!", ertönt es da durch die Lautsprecheranlage.
„In wenigen Minuten beginnt die Flugschau!"
„Schnell!", ruft Mark und zieht an Omas Tasche. „Ich will den Adler sehen!"

"Dear visitors!" a voice calls out over the loudspeakers.
"Our bird show will begin in just a few minutes!"
"Hurry!" cries Mark and pulls on Grandma's purse.
"I want to see the eagle!"

die Eule

owl

der Flamingo

flamingo

der Pfau

peacock

Gerade noch rechtzeitig kommen sie an. Ein Adler sitzt auf dem Arm des Tierpflegers. Schon hebt er ab und schwebt über Marks Kopf hinweg. „Ist der schön", schwärmt Mark.

They arrive just in time. An eagle is sitting on the zookeeper's arm. Just then he takes off and soars over Mark's head. "He's beautiful," exclaims Mark.

der Storch

stork

der Falke

falcon

der Adler

eagle

der Tukan

toucan

„Der Löwe ist der König der Tiere", erklärt Oma, als sie bei den
Raubtieren sind. „Und Leo ist der König im Bollerwagen", sagt Mark.
„Ich hab ja noch was mitgebracht!" Oma holt ihr Fernglas hervor. Mark guckt
gleich durch. „Super! Damit kann ich dem Leoparden bis ins Maul schauen!"
Plötzlich stutzt er. „Da ist ja Tobi aus meiner Turngruppe!"
Tobi rennt den Weg entlang und brüllt: „Willi! Wo bist du?!"

der Gepard

cheetah

die Hyäne

hyena

der Geier

vulture

der Leopard

leopard

"The lion is the king of the animals," Grandma explains as they arrive at the big cats exhibit. "And Leo is the king of our wagon," says Mark. "Look what I brought with me!" Grandma pulls out her binoculars. Mark looks through them. "Cool! I can look right into the leopard's mouth with these!" Suddenly he starts. "There's Toby from my tumbling class!" Toby runs by yelling: "Willy! Where are you?!"

der Tiger

tiger

der Löwe

lion

der Puma

mountain lion

„Willi ist doch Tobis Dackel! Ich suche mit!",
beschließt Mark und schaut wieder durchs Fernglas.
„Da! Er ist bei den Robben."

"Willy is Toby's dachshund! I'm going to help look for him!"
decides Mark and he looks through the binoculars again.
"There! He's over by the seals!"

der Fisch

fish

die Robbe

seal

das Walross

walrus

Gerade öffnet ein Tierpfleger die Tür zum Robbengehege: Fütterungszeit!
Willi riecht den leckeren Fisch und will hinterher. Mark rennt los. „Willi!", brüllt er.
„Bleib stehen!!!" Verdutzt dreht sich der Tierpfleger um. „Nanu, ein kleiner
Ausreißer!" Schnell fängt er Willi ein.

Just then a zookeeper opens the door to the seal area: feeding time!
Willy smells the yummy fish and runs after him. Mark runs too. "Willy!" he shouts.
"Stay!" Surprised, the zookeeper turns to look. "Hey, a little runaway!"
He quickly catches Willy.

der Otter

otter

der Pinguin

penguin

der Eisbär

polar bear

Oma und Tobi kommen Mark schon entgegen.
„Danke, dass du Willi gerettet hast!", sagt Tobi. Mark fühlt sich
wie ein echter Held. Oma zeigt auf einen Kiosk vor dem
Braunbärgehege. „Wie wär's mit einem Eis für jeden?", fragt sie.
Mark strahlt: „Solche Zootage sind die besten!"

der Braunbär

brown bear

die Schildkröte

tortoise

der Wolf

wolf